Siete conejitos

por John Becker

Adaptado al español por Martha Sastrías

Ilustraciones de Barbara Cooney

SCHOLASTIC INC.

New York   Toronto   London   Auckland   Sydney

Text copyright © 1973 by John Becker.
Illustrations copyright © 1973 by Barbara Cooney.
Spanish adaptation copyright © 1995 by Scholastic Inc.
All rights reserved. Published by Scholastic Inc., 555 Broadway,
New York, NY 10012, by arrangement with Walker & Company.
Printed in the U.S.A.
ISBN 0-590-48613-6

3 4 5 6 7 8 9 10   23   01 00 99 98

Siete conejitos
Por el camino
Por el camino

Siete conejitos
Por el camino
En busca del sapo Tino.

Un conejito dijo
Me dio sueño
Por el camino
Por el camino
Un conejito dijo
Me dio sueño
Por el camino
En busca del sapo Tino.

Por eso
Siete conejitos
Juntos regresaron
Pero tropezaron
Y en el suelo se encontraron
Con un hoyo
El del topo Goyo.

¡Aquí vive alguien!

Vamos a investigar.

Siete conejitos
Bajaron por el hoyo
Del topo Goyo
Que en el suelo encontraron
Y así llegaron
A un gran salón.

Entonces
El séptimo conejito
Se fue a dormir…
¡Shhh! No quiere salir
La cama está caliente
Y ahora hay solamente…

Seis conejitos
Por el camino
Por el camino
Seis conejitos
Por el camino
En busca del sapo Tino.

Un conejito dijo
Me dio sueño
Por el camino
Por el camino
Un conejito dijo
Me dio sueño
Por el camino
En busca del sapo Tino.

Humm. Regresemos
a casa del topo Goyo.

Vamos a llevarle
flores al sapo Tino.

¿Tan pronto
de regreso?

Por eso
Seis conejitos
Juntos regresaron
Pero tropezaron
Y en el suelo se encontraron
Con un hoyo
El del topo Goyo.

Seis conejitos
Bajaron por el hoyo
Del topo Goyo
Que en en suelo encontraron
Y así llegaron
Al gran salón.

Entonces
El sexto conejito
Se fue a dormir…
¡Shhh! No quiere salir
La cama está caliente
Y ahora hay solamente…

Cinco conejitos
Por el camino
Por el camino
Cinco conejitos
Por el camino
En busca del sapo Tino.

Un conejito dijo
Me dio sueño
Por el camino
Por el camino
Un conejito dijo
Me dio sueño
Por el camino
En busca del sapo Tino.

Los sandwiches de zanahoria son mis favoritos.

Ya era hora de comer.

Digan "Treinta y tres".

Por eso
Cinco conejitos
Juntos regresaron
Pero tropezaron
Y en el suelo se encontraron
Con un hoyo
El del topo Goyo.

Cinco conejitos
Bajaron por el hoyo
Del topo Goyo
Que en el suelo encontraron
Y así llegaron
A un gran salón.

Entonces
El quinto conejito
Se fue a dormir…
¡Shhh! No quiere salir
La cama está caliente
Y ahora hay solamente…

Cuatro conejitos
Por el camino
Por el camino
Cuatro conejitos
Por el camino
En busca del sapo Tino.

Un conejito dijo
Me dio sueño
Por el camino
Por el camino
Un conejito dijo
Me dio sueño
Por el camino
En busca del sapo Tino.

¡Ya era hora!

¡Mira! Te lastimaste.
Voy a curarte.

Por eso
Cuatro conejitos
Juntos regresaron
Pero tropezaron
Y en el suelo se encontraron
Con un hoyo
El del topo Goyo.

Cuatro conejitos
Bajaron por el hoyo
Del topo Goyo
Que en el suelo encontraron
Y así llegaron
Al gran salón.

Entonces
El cuarto conejito
Se fue a dormir…
¡Shhh! No quiere salir
La cama está caliente
Y ahora hay solamente…

Tres conejitos
Por el camino
Por el camino
Tres conejitos
Por el camino
En busca del sapo Tino.

Un conejito dijo
Me dio sueño
Por el camino
Por el camino
Un conejito dijo
Me dio sueño
Por el camino
En busca del sapo Tino.

¿Quieres unas galletitas
de chocolate antes
de acostarte?

Por eso
Tres conejitos
Juntos regresaron
Pero tropezaron
Y en el suelo se encontraron
Con un hoyo
El del topo Goyo.

Tres conejitos
Bajaron por el hoyo
Del topo Goyo
Que en el suelo encontraron
Y así llegaron
Al gran salón.

Entonces
El tercer conejito
Se fue a dormir…
¡Shhh! No quiere salir
La cama está caliente
Y ahora hay solamente…

Dos conejitos
Por el camino
Por el camino
Dos conejitos
Por el camino
En busca del sapo Tino.

Un conejito dijo
Me dio sueño
Por el camino
Por el camino
Un conejito dijo
Me dio sueño
Por el camino
En busca del sapo Tino.

Uff. ¡Pesas mucho!

Por eso
Dos conejitos
Juntos regresaron
Pero tropezaron
Y en el suelo se encontraron
Con un hoyo
El del topo Goyo.

Dos conejitos
Bajaron por el hoyo
Del topo Goyo
Que en el suelo encontraron
Y así llegaron
Al gran salón.

Entonces
El segundo conejito
Se fue a dormir…
¡Shhh! No quiere salir
La cama está caliente
Y ahora hay solamente…

Un conejito
Por el camino
Por el camino
Un conejito
Por el camino
En busca del sapo Tino.

Un conejito dijo
Me dio sueño
Por el camino
Por el camino
Un conejito dijo
Me dio sueño
Por el camino
En busca del sapo Tino.

Me pregunto
dónde dejé
mis botas.

Por eso
Un conejito
Solo regresó
Pero tropezó
Y en el suelo se encontró
Con un hoyo
El del topo Goyo.

Entonces
El último conejito
Se fue a dormir
No quiere salir
La cama está caliente
Y en vez de estar presente
Por el camino
Por el camino

El último conejito
Ronca y sueña
Ronca y sueña
¿Y qué sueña?

HOGAR,
DULCE HOGAR

Siete conejitos
Por el camino
Por el camino

Siete conejitos
Por el camino
En busca del sapo Tino.